우리는 글

우리는 글

발 행 | 2024년 07월 02일
저 자 | 권경준, 김라임, 김연주, 박진이, 오세연, 오세린, 오하율, 유이룸, 이수안, 이하린, 정우진, 조은찬, 최윤호.
펴낸이 | 한건희
펴낸곳 | 주식회사 부크크
출판사등록 | 2014.07.15.(제2014-16호)
주 소 | 서울특별시 금천구 가산디지털1로 119 SK트윈타워 A동 305호
전 화 | 1670-8316
이메일 | info@bookk.co.kr

ISBN | 979-11-410-9253-5

www.bookk.co.kr

우리는 글

권경준, 김라임, 김연주, 박진이, 오미미,
SeYeon 오, SeRin 오, 유이룸, 이수안,
이하린, 정우진, 조은찬, 최윤호 지음

CONTENT

머리말 5

제1화 1학년 시 6

제2화 2학년 시 16

제3화 3학년 시 31

제4화 4학년 시 54

제5화 1학년 독후감 60

제6화 2학년 독후감 66

제7화 3학년 독후감 81

제8화 4학년 독후감 93

추가 그림 작품

작가를 대신하여 쓰는 말

머리말

아이들의 마음에는 시인이 살고 있습니다.
아이들의 생각 속에는 창의력 공룡이 살고 있습니다.
학년이 올라가면 점점 공부해야 할 지식들이 채워지면서 시인과 공룡이 짐을 싸서 떠나려 합니다. 공부보다 더 중요하진 않지만, 앞으로 어른이 되어서도 아니 평생 살아가면서 우리는 시나 글을 써야 합니다.
글과 그림은 가장 기초적인 나를 표현하는 활동입니다.
아이들과 리브쌤의 독서 교실에서 수업하면서 쓴 글들을 모아보았습니다.
우리 친구들의 잠재력과 가능성은 무한합니다.
제한하지 않고, 방해하지 않고, 아이들이 잠재력과 가능성을 펼칠 수 있도록 도와주고 싶습니다. 각 친구의 꿈과 미래를 응원합니다.

제1화 1학년 시

미끄럼틀

박진이

선생님이

미끄럼틀, 그네라면

선생님이 시소라면

재밌겠다.

연필

박진이

뾰족한 연필
한글 쓸 때

그림 그릴 때
낙서할 때

지우개

박진이

잘못 쓸 때

종이에 주름 지울 때

사탕

오미미

사탕 새콤달콤
딱딱
씹으면 아프다.
알사탕처럼

로블록스

오미미

꼭 이겨야겠다.

너무 아쉽다.

반드시 이겨야겠다.

방학

박진이

공부하다

방학이 지나고 있다

화난다.

엄~~~~~

~~~~~~~~~

~~~~~~~~청

숙제

오미미

숙제가 없는 세상이 있다면 제발

그 세상에 데려다줬음.

화난다.

방학

오미미

재밌다. 너.

하지만 숙제를 해야 해 너무 슬퍼

방학이 9월까지 있다면 좋겠다.

뿌엥

패드

오미미

패드라는 게 있다.

얼마나 재밌는지

다른 게임도

하고 싶다.

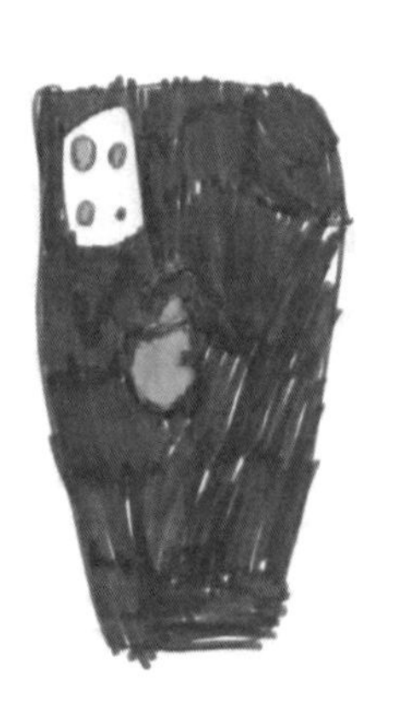

제1화 2학년 시

가라 울프 스톤!!!

권경준

두 팽이가 싸우네?

울프 스톤과 블라스트 드래곤이 싸운다.

쾅! 꽈광! 번개처럼 소리가 크네?

두 팽이 중 누가 이기나?

가슴이 콩닥콩닥

물통

오미미

물통을 흔들면

회오리가 생긴다.

재미있다.

연필

오미미

연필을 꽂다가 연필에 찔렸다.

연필이 살아 있는 거 같다.

나무는 엄마

김연주

어디인지 내 곁에 있는 나무
산소를 줘 살게 하지

우리를 안아줘
곁에 있어
나무야 고마워 사랑해!
나무는 엄마

늙었지만 사랑하는 나무

권경준

사람들이 좋아하는 나무는

없으면 안 돼

너는 오래 살아서 부러워

가만히

김연주

삐죽삐죽 서 있는 초록색

예쁘다 만져주면

기분 좋아 쑥쑥 크지!

귀엽고 깜찍한 통에 담아

쑥쑥쑥

하룻밤 이틀 밤

아이 귀여!

귀여운 새싹 크면

꽃이 되지

가만히 서 있는 꽃

심심하지 않니?

미끄럼틀

권경준

슈~~~~~

빨리빨리 급하다고

슝~~

미끄럼틀 급하나 보다

으악 넘어졌다.

파란색 미끄럼틀이

날 넘어뜨렸다.

으윽

속상해.

무엇이든 지우는 지우개

유이룸

무엇이든 지우는 지우개가
있다면 불을 지우고
전쟁을 지우고
지진을 지우고
쓰레기를 지우고
마귀를 지우고
엄마 주름살을 지우고
엄마 코에 까만 것도 지우고
나쁜 사람들을 지우고
그렇게 해서 편안히 살면 좋겠다.

사탕

오미미

손으로 만질 때 딱딱
너무 돌덩이 같다.
하지만 달콤하다.
아무 소리도 안 난다.

동생 떠나기

박진이

동생이 떠난다.
슬프다.
망치를 만나면 좋다.
망치는 동이 아빠.

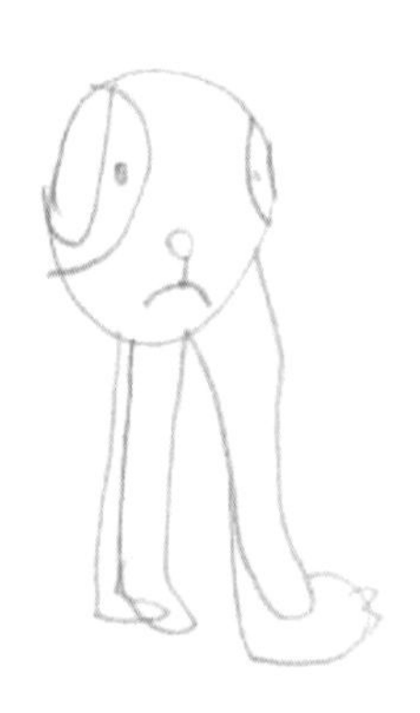

봄

박진이

봄에 캠핑
가고 싶다.

꽃 파티도
하고 싶다.

벚꽃 나무
보고 싶다.

설사

무명

내가 가는데 계속 방귀가 나왔다.

그러다가 설사가 나왔다.

선생님한테 말했다.

친구 한 명이 왜 그러냐고

선생님한테 물었다.

선생님은 엄마한테 전화했다.

엄마가 선생님한테 아파서

그런다고 말했다.

강아지

유이룸

오늘은 강아지를

처음 만났다.

그래서 강아지가 필요할 것을

사야 한다.

귀찮다.

근데, 꼭 해야 해서 했다.

그래서 엄마가 아이스크림을 사줘서

기분이 좋았다.

화

유이룸

오늘 화가 났다.

그래서 선생님에게

어떻게 하냐고 말했다.

선생님이 말했다.

1번 멈추기

2번 생각하기

3번 말하기

제3화 3학년 시

봄

이수안

봄은 마치 여우비가
오듯 오고 지나가
다음 해가 오면 다시 온다.

봄은 꽃들의 계절이다.
벚꽃, 개나리, 철쭉
민들레 등등

봄은 아이들의 계절이다.
시끌벅적
봄은 아이들의 계절이다.

3학년

이수안

3학년은 정말 좋다.

학교에 중심

3학년은 최고다.

3학년은 형이 된

느낌이다. 정말 좋다.

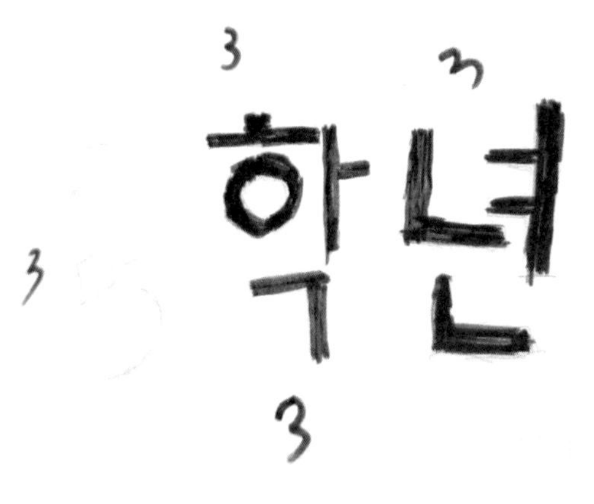

따뜻한 봄비가 좋아

이하린

봄은 좋다.

왜냐하면

꽃비 내리는 것 같다.

철쭉, 민들레,

사파리 온 것 같다.

3학년은 최고다

이하린

3학년은 중간이다.
나는 시를 쓰고 있다.
00이는 시를 쓰고 있다.

겨울

권경준

차가운 겨울
아이들이 눈을 갖고 놀고

차가운 눈에
누워 사박사박

내 기분이
차가워진다.

달고나 같은 엄마

최윤호

우리 엄마는 달고나같이
달콤하게 말한다.

우리 엄마는 마음씨가
달고나처럼 달콤하다.

봄

김연주

따뜻따뜻 새 학기
두근두근 새 학기

날씨도 좋은
두근두근 3학년 새 학기가
기대된다.

고양이

이수안

고양이랑 누워
천장을 봅니다.

날아다니는 파리는
한참 맴돌다가

떠난다
엄마한테
파리채로 잡혀 떠난다.

일요일 저녁

이하린

주말에도 못 노네
나는 아주 아쉽다.

저녁까지 먹었는데
영화도 못 본다.

아까운 일요일 저녁
잠도 슬쩍 오는데

고양이 친구

이수안

내가 고양이를 괴롭힌다.
고양이가 나를 괴롭힌다.

엄마가 그만하라 해도
괴롭힌다.

고양이는 내가 친구다.
나는 고양이가 친구다.

고양이

이하린

고양이가
고양이를 가져가고

내 고양이는
"어 ~ 그려"
라고 말하고

"어~ 그려"
재밌겠다.

시나모롤

이하린

시나모롤 아프다고
졸라대고

맨날 아프다고
거짓말하고

시나모롤
그러면 안 돼!!~

겨울

권경준

형이랑 놀고
집으로 갔다.

녹고 녹는 눈사람
놀이터에 눈이 녹다가

내 마음도
녹고 녹는다

마음 아픈 날

최윤호

친구가 나에게
왕따를 했다.

다친 무릎 보다

내 마음이
더 아프다.

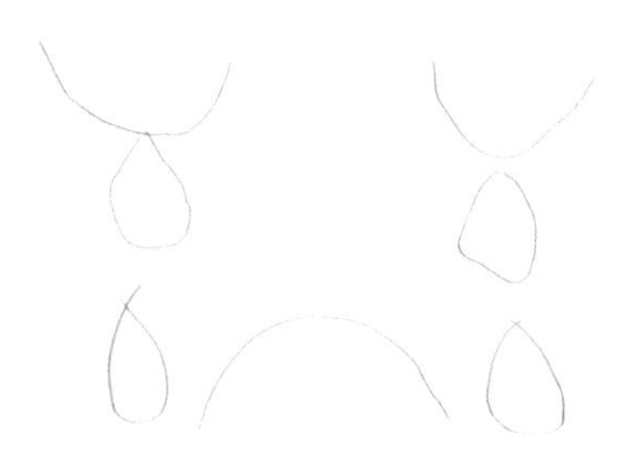

우리 반

김연주

학부모님들이 와
꼼짝도 못 하는 우리 반

쉬는 시간은 시끌벅적
하지만
학부모님 앞은 꼼짝 못 하고

내 마음은 벌써 웃고
숨겼던 웃음도
살짝 나온다.

레고

김연주

독서 선생님 집에 오니
레고가 있다.

레고가 말했다.
"난 이대로가 좋아!"
레고가 말해서 놀랐다.
이제 집에 가야 해
레고한테 인사하고 갔다. 안녕!

인형

김연주

이사를 간다
사다리차가 벌써 왔다.

엄마가 인형을 버린다 해
그저 눈물만 흘리는 나….

아까운 인형
그리운 인형.

옆집 고양이

최윤호

야옹야옹
옆집 고양이가
운다.

옆집에
놀러 가면
만날
놀아주고
싶다.

입양

최윤호

고양이를
입양했다.
온몸이
들썩들썩
하다
빨리 집에 가서
고양이를
보고 싶다.

4마리의 냥이

김연주

1마리는 이쁘고요. 또,
1마리는 귀엽고요. 또,
1마리는 착하대요. 그럼, 또
1마리는 누굴까요?
바로 이쁘고 귀엽고 착한
여러분 입니당!

먹방

김연주

냠냠 젤리부터

냠냠 소시지

먹는 거는 다~ 먹는 먹방

군침이 싸 도노~

털북숭이

최윤호

우리 집
귀염둥이
현관에 들어서면
꼬리를 살랑살랑
우리 집
털북숭이

제4화 4학년 시

시

SeYeon 오

어느 것이든 다 시로 뚝딱! 신기하다!
어떻게 생각하면 "오! 쉽네!"
또 어떻게 생각하면 "오! 어려워!"

그래도 마음을 편하게 하는 것은 시야!

눈

김라임

알록달록
가을이 지나고

흰 눈이 소복소복 쌓인다.
나무, 집, 차 어디든지

소복소복
쌓이는 눈

배

SeRin 오

둥둥 떠다니는 배
안 추울까?

물에 둥둥 떠다니면
배가 추운지
뿌~~ 소리를 낸다.

꽃씨

SeRin 오

꽃씨를 만지면

매끈매끈

혹시

꽃씨도 대머리?

파크원 장내 경보등

정우진

파크원 장내 경보등은
낮은음과 높은음이 있습니다.

소리가 나면 신이 납니다.
띠라라 띠리리~

제5화 1학년 독후감

인어 공주를 읽고

박진이

언니들이 인어공주에게 칼을 줬다.
"막내야, 이 칼로 왕자님 가슴의 피를 다리에다가 묻히고 오너라. 그럼 넌 다시 인어 공주로 될 수 있구나."

아낌없이 주는 나무를 읽고

오미미

나무 꼬마야, 나 이젠 줄 게 없으니 이만 가보렴.
소년 나무야 나와서 같이 놀자.
소년이 나이가 들자 나무가 힘들구나.

아낌없이 주는 나무를 읽고

박진이

나무: 꼬마야, 나는 이제 줄 게 없단다. 나는 이빨이 나빠져서 아무것도 못 먹어.

이솝이야기를 읽고

오미미

이 책은 지혜롭게 되는 이야기이다.
나쁘게 생활하면 벌 받는다. 그리고 혼난다.

똥으로 책을 쓰는 돼지를 읽고

박진이

샤샤가 필통을 모르고 떨어뜨렸다.
늑대 선생님이 "누구야?"하고 말 걸었다.
이 장면이 생각난다.
샤샤에게 늑대 선생님이 화낼까 봐.
샤샤가 무서웠다.
샤샤는….

예쁘니의 하루 (창작 이야기)

오미미

아침에 일어났더니 남자가 됐다. '어? 내가 남자네?'
예쁘니는 마법에 걸렸다.
"꺅 아아아 예쁘니가 없어졌다."
"나야 나!"

"누구야?"

"사실 나 마법에 걸렸나 봐."

"그럴 수가?"

"으악!"

그랬더니 눈물이 약이었다. 예쁘니가 돌아왔다.

으악 도깨비다를 읽고

박진이

밤까지 보름달 앞에서 숨바꼭질했다.

아휴 시끄러워 잠 좀 자자

자 이번엔 대결이다

얘 네가 1등이다

꼴찌는 멋쟁이지

숨바꼭질하다가 멋쟁이가 안 보여!

멋쟁아~ 멋쟁아 어디있어?

왜 이렇게 깊이 숨었지? 멋쟁이를 찾으면 우리도 잡아

먹을 거야.

도깨비가 우리를 잡아먹을 거야. 우리도 도망가자

끝이라고~

제6화 2학년 독후감

강아지 똥을 읽고

권경준

나는 거름이다. 꽃들이 피는 것을 도와주고 비가 오면 몸이 잘게 부서지며 거름이 된다. 그래서 나는 좋은 거다.

강아지 똥을 읽고

김연주

나는 민들레를 도와주는 똥이다.
똥이라 이해가 안 될 수 있지만, 더 이해 안 가는 것은 내가 강아지 똥이란 것이다. 하지만 난 거름도 될 수 있고, 민들레도 도와준다. 모두 소중하다. 소중하지 않은 건 없다. 동물이든 사람이든 똥이든
그래서 강아지 똥도 소중하고 우리에게 필요한 존재이

다. 이 책에 주인공 강아지 똥은 자신이 쓸모없다고 생각했지만, 꼭 필요하다.

신석기 시대 일기

김연주

갈판을 갈돌로 했다. 아버지가 노루를 죽게 했다. 누나가 말똥이한테 팔찌 만들고 그랬다. 농사도 했다. 여자가 어떤 수프를 만들었다. 대화했다. “엄마 오늘 뭐 먹어요?”

신석기 시대 일기

권경준

난 농사가 좋다. 엄마랑 농사하면 좋다. 땀이 나도 좋다. “엄마 힘들지만, 너무 재미있어요.”

아낌없이 주는 나무를 읽고

김연주

소년아, 넌 나무한테 많은 걸 받았어. 이제 그만 받고 일을 해. 돈을 벌어.

집을 사고 돈을 벌어 배를 사는 게 어때?

생각을 많이 많이 해서 안 되면 나무한테 가---

아낌없이 주는 나무를 읽고

권경준

아무것도 받지 않은 것을 받은 나무 (아무것도 받지 못한 나무)

세상에서 가장 힘이 센 말을 읽고

박진이

엄마 아빠 도와준 거를 그래서 엄마 아빠가 실수할 때, 괜찮아, 할 때 그래서 마트에서 남자가 똥 마렵다고 했다.

그리고 그때 남자애가 화났었다. 미안해했다. 사람들이 감동하였다. 눈물을 흘렸다. 보고 싶다고 했다. 재미있다. 나도 힘이 센말 하고 싶다.

내가 좋아하는 요일은

김연주

토요일이 좋아요. 왜냐하면 잘 때 영화도 보고 신나게 놀 수 있으니깐 정말 좋은 것 같아요. 아! 토요일에는 놀 수 있어요. 여행은 아니고 그냥 놀기.

키즈카페 같은 거요~~그러니깐 그냥이 아니고 이유가 있어요. 여러분은 무슨 요일이 좋으신가요?

내가 좋아하는 요일은

권경준

나는 일요일이 좋다. 왜냐하면, 내가 하고 싶은 일을 할 수 있어서 좋다.

세상에서 가장 힘이 센 말을 읽고

오미미

나는 왜 이 책을 읽었냐면, 선생님이 읽으라고 해서 일단 읽었다. 재밌었다. 맨 마지막에 감동받았다. 가족들이 안겨 있는 게 예뻤다. 아빠가 그렇게나 손이 기네. 손도 두껍다. 그런데 날 지키는 말이 좋았다. 그리고 '엄마'이 말이 감동이다. '아빠' 이 말도 감동했다. '똥 마렵다'라는 게 웃겼다. '졸려요'는 나도 자고 싶었다. '배고파요'는 나도 배고팠다. '심심해요'는 나도 심심했다. 이제 끝이다. 끝이라고?

우동 한 그릇을 읽고

권경준

나는 우동이다. 따뜻한 국물로 사람들을 녹인다. 쫄깃한 면에 마음을 편하게 한다. 그리고 배려를 해줘. 그래서 난 우동이다!!

우동 한 그릇을 읽고

김연주

나는 최우연이다. 나는 쌍둥이의 엄마인데 남편은 사고로 세상을 떠나고 돈이 부족해 밥도 잘 못 먹는다. 1년에 딱 1번씩 외식을 하는데 이번엔 우동 집에 갔다. 한 그릇만 시켰는데 우동 집 사장이 한 그릇 반 주어서 고마웠다. 하지만 말을 안 했다. 부담스러워할까 봐.
다음날은 둘째 아들의 참관 수업이다. 일하느라 첫째 아들이 가기로 했다. 아들한테 미안하다 “내가 너무 아들한테 힘들게 했다” 그래도 우리 집 살림을 하려면 어쩔 수 없었다.
그렇게 20년이 지났다. 첫째 아들은 소아과 의사 선생님이 되어 돈이 많아졌다. 둘째는 은행원이 되었다. “이번에도 우동 집을 가볼까? 해서 우동 집을 가니 환영을 받았다.

오줌이 나타났다.

권경준

오늘 남자 화장실에 오줌이 있어서 놀랐다. 그때 기분은 노란색이다.
오줌이 줄 대로 이어졌다. 나는 곧바로 화장실에서 탈출하고 손도 못 씻었다. 그 오줌은 내 기분처럼 노란색.
“누구인가? 누가 감히 오줌을 쌌는가?”

오늘의 감정 일기

김연주

오늘은 운이 아주아주 좋았다. 내가 엄청 엄청 좋아하는 친구와 같은 조가 되어 내 마음이 초록색!!!
내가 좋아하는 친구가 내가 하고 싶은 거 똑같을 때!!
가위바위보! 해서 결정하려고 했다. "와! 내가 이겼다!"
친구가 이겨서 내 마음은 노란색!!! 그 친구가 가위바위보에서 다 이겨서 그 친구가 학습지도 가지고 나갔다.
거기에 1,2,3,4,5 있었는데…친구한테 "1번!"이라고 외쳤다.
그런데 다른 게 와서 속상했지만, 친구도 열심히 가위를 했으니 되지 뭐.
난 그 친구와 놀고 싶었는데 못 놀아 내 마음 빨간색.
ㅠㅠ
"어흥 어흥 호랑이 소리를 낼 거야!"
내 마음 일기 끝 (하트하트)

크록텔레 가족을 읽고

권경준

텔레비전만큼 더 재미있는 것!
'킥보드 타기, 친구랑 놀기, 키즈카페 가기'가 있다. 이 책은 크록텔레 가족이 티브이에 중독된 이야기야.

크록텔레 가족을 읽고

김연주

크록텔레 가족
산책, 책보기, 잠자기,
여행가기, 놀이터에서 친구와 놀기,
외식하기 등 이렇게 많은
티브이 없이 생활할 수 있는 게 많아요.
여러분도 티브이가 도망가지 않도록.

티브이를 사랑해주세요.

꼭이요.

누구를 보낼까요를 읽고

오미미

'누구를 보낼까요' 책이 재밌었다. 읽게 된 이유는 교과서에 실려서 읽었다. 거북 할아버지가 나갔고, 아기곰도 나갔고 원숭이도 나갔다. 동물들은 힘들어했다. 그런데 공작새가 나서서 말했다. 투표하자고 말했다. 그걸 다 좋아했다. 거북 할아버지 514표, 아기곰 323표, 원숭이 163표가 나왔다. 그래서 거북 할아버지가 가게 되었다. 아기곰, 원숭이는 축하했다. 거북 할아버지는 기뻤다, 우주선을 타고 갔다. 잘 돌아올 것 같다.

아기 토끼와 채송화꽃을 읽고

오미미

나는 이 책을 왜 읽었냐면, 선생님이 읽으라고 해서...일단 읽었다. 재미있었다. 동화는 5개 있었다. 그 중 또야 심부름이 제일 재미있었다. 아기토끼와 채송화꽃도 재미있었다. 또야 심부름에서 어디가 재미있었냐면 할머니한테 달려가는데 "오냐"하는 게 웃겼다. 아기토끼와 채송화 꽃 어디가 재밌었냐면 아빠가 돌아가신 게 슬퍼서 그렇다.

아기토끼와 채송화꽃을 읽고

박진이

선생님이 읽으라고 해가지고 그냥 읽었다. 또야가 밤을 친구들한테 줬다. 친구들이 다 먹어가지고 또야는 울음을 터뜨렸다. 여자애는 눈을 가리고 있었다. 그런데 친구들이 울음을 다 터뜨렸다. 또야 엄마가 갑자기 왔다. 친구들이 또야 엄마에게 솔직하게 말했다.

누구를 보낼 까요를 읽고

박진이

누구를 보낼까요. 거북이 할아버지가 동물들한테 말했다. 예쁜 공작이 나왔다. 초대장이 있었다, 친구들이 다 한 명씩 발표했었다. 재밌었다.

마법의 설탕 두 조각을 읽고

박진이

렝켄이 엄마, 아빠를 골탕 먹일 묘를 찾고 있었다. 렝켄은 아빠에게 거역했다. 난쟁이가 된 엄마 아빠는 렝켄한테 소리 질렀다. 엄마는 휴지로 옷을 만들었다. 렝켄은 뭐를 했다가 손에 피가 났다. 엄마 아빠가 먼지처럼 안 보였다. 재밌었다.

제3화 3학년 독후감

나쁜 어린이 표를 읽고

최윤호

이 책은 재밌다. 곡 선생님이 나쁜 건 아니다. 처음에는 선생님이 싫었는데 마지막에 친해진 거 같았다. 거기는 나쁜 스티커 착한 스티커가 있는데 착한 일을 하면 착한 스티커. 나쁜 걸 하면 나쁜 스티커를 붙인다. 그래서 재미있었다.

개구쟁이 수달을 읽고

김연주

이 책은 동물들의 특징을 써 놓은 책이니까 한번 봐봐요. 저는 여기서 배운 게 천 개 만개에요 다람쥐가 딱딱한 걸 씹는 것도 신기했어요. 그러니 봐봐요.

오세암을 읽고

김연주

오세암은 감이라는 아이 눈앞이 안 보여서 길손이란 다섯 살 아이가 도와줘야 했다. 사실 난 영화로 보았지만, 독서록을 쓴다. 그리고 오세암 이야기를 하겠습니다. 아까 말했지만 감이는 앞이 안 보여 다섯 살 길손이가 보살펴 주어야 하였습니다. 그런데 그 장면을 본 스님이 절에서 그 아이들을 키우기로 했다. 그 뒤로 이야기가 엄청 많아 쓰기 어려워 여기까지 하겠습니다. 여기에서 느낀 점이 있습니다. '이 이야기는 슬프구나'라는 생각이 들었습니다. 여기에서 뒷이야기 예고편 길손이는 눈 감고도 할 수 있는 공부를 하러 갔다. 감이를 위해! 여기의 미션! 독후감을 읽은 사람 오세암의 책이 있으면 한번 읽어보기! 그럼 안녕히 계세요.

알고 보니 더 재미있는 곤충 이야기를 읽고

김연주

나는 평소에 곤충은 벌레라고 생각했다. 하지만 이 책을 읽고 곤충은 곤충, 벌레는 벌레라는 것을 알았습니다. 그리고 전 평소의 곤충이든 벌레이든 다 징그러웠는데, 그게 조금 줄어든 것 같습니다. 벌레와 곤충 징그러워하시는 분 추천입니다.

그리고 전 모르는 곤충을 알게 되었답니다. 그래서 이제 곤충들을 다 안 것 같아요. 곤충학자가 꿈인 사람, 왕 추천! 그리고 진짜 곤충 싫어하는 사람은…

무서울지도? 여러분 이제 느낀 점 들어갑니다. # 무서움 # 곤충 # 벌레. 오늘의 교훈 곤충을 무서워하지 말자.

알고 보니 더 재미있는 곤충 이야기를 읽고

권경준

나는 이 책에 나오는 장수풍뎅이와 사슴벌레가 좋다. 사슴벌레 암컷은 두 뿔이 있지만 두 뿔이 아주 짧다. 수컷 사슴벌레는 두 뿔이 암컷보다 길다.
암컷 장수풍뎅이는 수컷처럼 뿔이 없다. 장수풍뎅이 수컷은 암컷과 다르게 긴 뿔이 있다. 수컷 장수풍뎅이와 사슴벌레가 만나면 그 커다란 뿔로 싸움이 붙는다.

알고 보니 더 재미있는 곤충 이야기를 읽고

최윤호

곤충이 없으면 우리도 없어진다. 곤충이 없으면 식물이 사라지고 식물이 없으면 초식동물도 없어진다. 초식동물이 없으면 육식동물도 사라진다. 동식물이 사라지면 우리도 없어진다. 박쥐는 모든 병을 가지고 있는데 신기하게도 자기는 병이 안 걸린다. 그리고 흑사병이라는 전염병이 있는데 몸이 까매지면서 생기는 병이다.

우리 아빠

김연주

아빠, 저의 아빠는 전교 1등을 했다. 400명 중에 50등 안에 들었다는 이상한 말을 하지만 우리 아빠는 누구보다 나랑 잘 놀아준다. 우리 아빤 하루에 1번 나한테 이쁘다고 한다. 우리 아빤 나를 공주처럼 대해 준다. 공주여~ 공주여~ 이런다. 양치하러 갈 때 아빨 부르면 공주여~ 하면 안고 화장실까지 데려다준다.

얼굴은 10점 중 0점 마음씨는 10점 중 10점인 우리 아빠다. 작은 아빠는 아빤 잠만 잤다고 하는데? 그리고 대단한 게!

다이어트 성공한 거 ㅋㅋㅋ 그리고 달리기 잘하는 거! 짱!

우리 엄마, 아빠

권경준

우리 엄마는 요리를 잘하고 내가 챙겨야 할 걸 챙겨주고 나에게 항상 친절하게 대해 준다. 아빠는 행사장 회장이며, 내가 가면 다 즐겁다. 그리고 바빠도 나랑 놀아주며 좋은 아빠다.

플랑크톤의 비밀을 읽고

김연주

플랑크톤의 징그럽지만, 우리에게 꼭! 꼭! 필요하다. 지루한 책이지만 플랑크톤이 이상한 탄소도 흡수할 수 있다는 것을 알려줍니다. 플랑크톤이 없으면 우리가 살기 힘들고 동물, 식물 다~ 살기 힘들어 플랑크톤이 꼭 필요합니다.

나무만 이산화탄소를 흡수하는 줄 알았는데 플랑크톤도 흡수하다니 대단한 것 같아요. 앞으로 플랑크톤 사랑해야겠어요.

나쁜 어린이 표를 읽고

김연주

나쁜 어린이 표는 건우가 처음으로 나쁜 어린이 표를 받고 슬퍼한 이야기입니다. 그런데 선생님은 좋은 것 같아요. 이 이야기의 마지막! 선생님이 정말 착했습니다. 마지막에 혼내지 않고 선생님이 용서해서 고맙고, 감사한 것 같다. 그리고 건우와 선생님 대단하다.

나쁜 어린이 표를 읽고

최윤호

이 책은 재밌다. 곡 선생님이 나쁜 건 아니다. 처음에는 선생님이 싫었는데 마지막에 친해진 거 같았다. 거기는 나쁜 스티커 착한 스티커가 있는데 착한 일을 하면 착한 스티커. 나쁜 걸 하면 나쁜 스티커를 붙인다. 그래서 재미있었다.

하루와 미요를 읽고

김연주

하루와 미요는 용기를 얻는 스토리입니다. 불가능 이어도 해결할 수 있는걸 보여주는 것 같아요. 제가 이 책을 읽고 느낀 점이 있습니다. 전 하루와 미요가 정말 멋진 것 같았어요. 물속에 들어가 새끼 고양이를 구하다니! 그리고 이 책은 연극을 할 수 있다구욧! 귀여운 강아지 하루와 겁 많고 멋진 미요가 합쳐진 하루와 미요! 노력하고 끈기 있게 하면 뭐든지 이룰 수 있다고요. 지금 바로 빌리러 Go.

하루와 미요를 읽고

권경준

하루의 꿈은 저수지까지 가서 엄마를 만나는 게 꿈이다. 저수지까지 간 하루는 엄마를 만나서 하루의 꿈을 이루게 되었다.
미요는 친구 미야가 물에 빠졌을 때 구해주지 못한 게 미안해서 수영을 배우게 되었다. 그래서 새끼 고양이를 구해줘서 다른 고양이들도 수영을 배우게 되었다.

오세암을 읽고

권경준

독서 교실에서 읽으라고 해서 이 책을 읽게 되었다. 감이는 눈이 안 보여서 (스님이) 그런 모습을 본 스님은 감이를 돌봐주면서 배고플 때는 젖을 주고 심심할 때는 놀아주었다.
나는 이 전설이 너무 신기하고 재미있어서 계속 기억에 남을 것 같다.

나쁜 어린이 표를 읽고

권경준

나쁜 어린이 표는 꼭 필요하다. 왜냐하면, 말 안 듣는 어린이에게 나쁜 표를 줘야 성장이 된다. 그러면 나쁜 어린이도 언젠가 변하게 된다.

제3화 4학년 독후감

아름다운 꼴찌를 읽고

정우진

꼴찌를 하면 상을 받을 수가 없으므로 포기하고 싶다. 나는 1등으로 하고 싶다. 수현이는 끝까지 달렸다. 1등보다 아름다운 꼴찌다. 수현이가 넘어지면 도와주고 싶다.

콩한쪽도 나누어요를 읽고

정우진

현아 누나가 죽었다. 교통사고가 나서 뇌사상태가 되었다. 장기를 나누어 줬다. 심장, 콩팥, 신장, 각막을 나누어 줬다. 이 이야기가 슬펐다.

알고 보니 내 생활이 다 과학을 읽고

정우진

나는 오늘 이 책을 읽었다. 이 책에서 '라면'을 읽었다. 꼬불꼬불할수록 보다 많은 기름을 흡수해 빨리 튀겨지고, 또 쭉쭉 뻗은 것보다 더 먹음직스러워 보이기 때문에 일부러 그렇게 만든 것입니다. 라면은 맛있다. 그리고 사람의 느끼는 맛은 단맛, 신맛, 쓴맛, 짠맛 4가지입니다. 맛을 나타내는 여러 가지 말들은 이 4가지 맛의 변형일 뿐입니다. 예를 들어 달짝지근한 맛은 단맛, 시큼털털한 맛은 신맛의 일종이지요. 이 책은 더 알 수 있게 해준다.

갈매기의 꿈을 읽고

조은찬

오늘은 바삭바삭 갈매기도 있겠지만 갈매기의 꿈을 읽었다, 갈매기에게 추방당해도 꿋꿋하게 버틴 조나단은 MBC에도 나오고 SBS에도 나오고, KBS에도... 뺑이고 조나단은 선생이 되어 멋있고 멋있다. 끝. 아디오스 아미고.

갈매기의 꿈을 읽고

김라임

이 책을 읽게 된 동기는 고전이기 때문이다. 내 생각의 변화는 끝까지 포기하지 말아야겠다 이고, 나는 이 책 제목을 꿈을 포기하지 말아야겠다고 짓고 싶다. 이 책에 주인공은 조나단, 츠앙이 대표적이다.

갈매기의 꿈을 읽고

SeYeon 오

조나단은 열심히 노력해서 날기 선생이 되었다. 조나단은 날개가 부러진 새도 무서워하는 새도 다 날게 해주었다. 그런 조나단이 너무 대견스러웠다. 나도 노력하여 멋진 가수로 성장해 성공하고 싶다. 그러면 우선 끈기있게 악착같이! 노래 연습을 해야겠다.

갈매기의 꿈을 읽고

SeRin 오

이 책에는 조나단이라는 갈매기가 나오는데 날지를 못하였다. 하지만 챙이라는 갈매기에게 용기를 얻고 날기 선생이 되어 여러 아이를 가르쳤다. 날개가 부러진 아이에게 날 수 있는 방법을 알려준다. 조나단도 날다 목이 부러질 뻔 하였는데 그 트라우마를 견디다니 대단하다.

지붕이 들려주는 건축 이야기 읽고

김라임

엄청나게 신기한 건축물이 많았다. 그리고 우리나라 건축물은 뭐가 또 있는지 궁금하다. 그리고 나중에는 어떤 미래로 교통시설은 뭐가 생길지 궁금하다. 내가 만약에 미래시설을 만든다면 로봇 아파트를 만들 것이다. 그 로봇은 돈을 넣으면 다리가 생기면서 가고 싶은 곳으로 데려다준다.

그리고 지금 새로 개발된 시설이 궁금하다. 그리고 학교에서 미래시설 영상을 봤는데 그중에서 가장 인상 깊었던 미래시설은 드론 택시다. 무인이고 드론 택시에 타서 가고 싶은 곳을 검색하면 하늘을 날아서 간다. 나도 꼭 한 번만이라도 타고 싶다. 그리고 뉴스에도 나왔다. 나는 나중에 로봇 아파트를 만들고 싶다. 나중에는 내가 로봇 아파트를 만들어서 내가 살 거다.

가끔씩 비 오는 날을 읽고

SeRin 오

이 책을 읽고 나서 작은 거라도 아주 쓸모가 있다는 걸 알았다. 왜냐하면, 작은 못도 쓸모가 있기 때문이다. 우리가 쓰잘데기 없다고 생각해서 버린 뒤 '아, 그거 안 버릴 걸..'이라고 생각한 적이 있어서 모든 게 다 쓸모가 있다고 생각되었다.

콩 한쪽도 나누어요 를 읽고

정우진

현아 누나가 죽었다. 교통사고가 나서 뇌사상태가 되었다, 장기를 나누어줬다. 심장, 콩팥, 신장, 각막을 나누어줬다. 이 이야기가 슬펐다.

안네의 일기를 읽고

SeRin 오

안네는 생일 선물로 키티라는 일기장을 받았다. 그러던 어느 날 독일군들이 유대인을 잡아가기 시작하자 유대인인 안네! 가족은 은신처에서 다른 사람들과 숨어 살게 된다. 하지만 안네의 가족들은 수용소에 끌려가게 되고 안네와 안네의 언니는 다른 수용소로 가게 되고 그곳은 더러워서 안네의 언니는 눈을 감고 언니가 죽자 안네는 16살이라는 어린 나이로 눈을 감고 살아 나온 안네의 아빠는 죽기 전까지 안네의 일기를 세계에 알린다. 유대인이라는 이유로 슬픔과 어둠 속에서 갇혀 산다는 게 말이 안된다고 생각한다. 안네가 살던 은신처는 박물관이 되고 안네의 일기를 실제로 볼 수 있다.

두근두근 탐험대를 읽고

SeRin 오

이 책에는 소희, 동동, 철이, 깍두기, 수우가 나온다. 다섯 친구가 모험을 떠나던 중 다른 세계로 도착하게 되고 용을 만났다. 용을 만나 놀다 동동이가 눈이 많아졌다. 그것을 고치기 위해 여의주를 찾기 위해 쓰레기 섬에 갔는데 아기 용의 보호막이 사라졌다. 아기 용이 점점 죽어가는 모습을 보고 소희가 울부짖자 목걸이가 빛나고 여의주와 아기용을 데리고 용궁으로 가는 것으로 끝이 난다. 쓰레기 섬 부분에서 누군가 버린 쓰레기가 어딘가 쌓인다는 것이 마음이 뭉클했다.

가끔씩 비 오는 날을 읽고

SeYeon 오

나도 저 방의 주인처럼 모든 사물에게 이름을 지어줄 수 있다면 좋겠다. 쓸모없는 못도 쓸모있는 못으로 바꾼다는게 넘 신기했다. 나도 쓸모없는 것을 쓸모있는 것으로 만들어서 환경 지킴이가 되어야지!
맛있는 과학 6 소리와 파동을 읽고

맛있는 과학 6. 소리와 파동을 읽고

SeYeon 오

소리는 떨림을 통해 전달된다는 걸 두 번 깨우치고 기억했다. 앞으로도 두 번 배운 만큼 기억도 잘해야겠다고 생각했다. 오늘도 꿈이 하나 더 생겼다. 바로 폴리아티스트와 소리 연구원! 꼭 내 꿈 중 하나를 이뤄서 소리 만드는 것은 취미로나마 하고 싶다. 소리야! 넌 정말 소중해! 그리고 사춘기가 되면 목소리가 바뀐다니 하!...
역시 소리의 세계는 너무 너무(x100) 신기하군!

고래를 그리는 아이를 읽고

SeYeon 오

장애가 있는 아이는 어머니가 버리는 경우가 대부분이라고 한다. 일단 이 주인공을 어머니가 고래를 보고 있으라면서 버리고 갔다. 너무 나빴다. 그래서 주인공은 고래가 너무 좋아서 보육원 '천사네 집'에서도 고래만 그렸다. 그러더니 원장 쌤이 낯선 그림을 들고 '내'가 그렸다고 했다. '나'는 그럴 때마다 죄를 짓는 기분이었다. 그래서 스케치북에 삐뚤빼뚤한 글씨로 '이건 내가 그린 게 아니에요.'라고 썼다. 그날 저녁 원장 쌤이 회초리로 때렸다. 그렇지만 '나'는 속은 후련했다.
내 느낀 점은 장애가 있어도 우리와 똑같다고 세상에 알려 주고 싶다.

초록 고양이를 읽고

정우진

나는 이 책을 선생님이 읽어줬다, 오늘은 초록 고양이 책이다. 종이에 항아리를 그려서 색칠했다. 항아리가 40개 있었다. 항아리에 숨은 엄마를 찾으려고 했다. 꽃담이는 냄새를 맡았고 엄마는 항아리를 깨트렸다. 느낌은 다른 생각이 났다. 초록 고양이가 들고 있는 거는 우산, 장화 꼬리가 있었다. 이것이 기억에 남는다.

콩 한쪽도 나누어요를 읽고

SeYeon 오

내가 이 책을 읽은 이유는 논술학원 덕분에도 있지만, 책 표지가 아주 재미있을 것 같아서도 있다. 이 책에서 쓸 이야기는 <세상에서 가장 고귀한 나눔, 장기기증>이다. 여기에서 가장 아름다운 사람은 현아라는 언니이다. 현아 언니는 교통사고를 당해 뇌사상태에 빠지게 되어서 6명의 아이에게 장기기증을 하고 떠났기 때문이다.

이 제목이 <가장 고귀한 나눔, 장기기증>인걸 알 수 있는 인물인 것 같다. 뇌사상태에 빠졌다고 판정 나자마자 의사들이 우르르 몰려 장기를 빼간다는 것이 좀... 무섭지만….

어린이 사자소학을 읽고

SeYeon 오

왜 사자소학을 배워야 할까? 이렇게 생각하는 사람들이 있다. 왜 배워야 하냐면 '부모출입 매필기립'이라는 사자소학이 있다. 이 뜻은 부모님이 대문을 드나드실 때는 반드시 일어서서 인사하라는 뜻이다. 이 뜻처럼 부모님에 대한 예의를 알고 친구와의 관계가 흐트러지지 않도록 도와주는 4자의 한자로 구성된 비교적 쉬운 글이라고 한다. 이글에서 내가 이해할 수 없었던 사자소학이 있다.

바로 '재가종부 적인종부'이다. 이 사자 소학의 뜻은 집에 있을 때는 아버지를 따르고 시집을 가서는 남편을 따르라는 뜻이다. 지금 시대가 어느 시대인데….

세종대왕을 읽고

김라임

엄마가 읽으라고 하여서 읽게 되었다. 인상 깊었던 구절은 백성들을 위해 훈민정음을 만든 구절이 인상 깊었다. 세종대왕을 통해서 나에게 생명의 소중함을 알게 되었다. 그리고 생명의 소중함을 알게 되어서 내가 더 똑똑해진 것 같았다, 그리고 나는 이 책에 제목을 <훈민정음을 만든 위대한 왕 세종대왕>이라고 짓고 싶다. 이 책에 주인공은 당연하게도 세종대왕이고 훈민정음을 만들었고 백성들을 사랑하는 마음이 큰 사람이었고, 어렸을 때 책을 엄청 열심히 읽어서 궁궐에 있는 책은 거의 다 읽었다고 한다.

제일 기억에 남는 사건은 어떤 사람이 엄마를 때린 거라도 모자라 아버지를 죽이기까지 한 사건이 인상 깊었다. 내가 만약 주인공이었다면 나도 세종대왕처럼 백성들을 위해서 노력할 것이다. 가장 기억에 남는 문장은 '그동안 백성들이 글을 몰라 억울한 일을 당하는 일이

참으로 많았소. 내 이를 안타깝게 여겨 문자 28자를 지었으니 백성을 가르치는 바른 소리라는 뜻으로 <훈민정음>이라 이르겠소' 나는 친구에게 이 책을 추천해 주고 싶다. 그 이유는 세종대왕처럼 누구나 소중하다는 것을 알려주고 싶기 때문이다.

꿈꿀 수 없는 힘든 상황의 미래의 나에게 쓴 편지

조은찬

2036년의 나에게.
안녕. 난 너야. 그래, 네 때가 되면 웃겠지. 그래. 하지만 나는 진지해. 네가 꿈을 이루는 게 쉽지 않을 거야. 많이 힘들 때 그냥 웃어줘. 슬픈 것보다 웃는 게 더 좋잖아. 그래, 미안. 진지한 건 아닌 것 같아. 아무튼, 개그맨이 되어줘. 욕먹어도 자신감을 가져. 글이 더 많으면 좋은데 안녕. 너를 사랑하는 내가.

2024년 6월 3일 조은찬

헬렌 켈러를 읽고

김라임

선생님한테 엉덩이를 맞으면서도 공부하는 헬렌 켈러가 대단하다고 생각했다, 독서논술에서 읽으라고 해서 읽게 되었다. 헬렌 켈러는 나한테 가능함을 선물했다. 그래서 나는 실패를 성공으로 만들 것이다. 나는 이 책에 제목을 <위대한 인물 헬렌 켈러>라고 짓고 싶다. 이 책에 주인공은 헬렌 켈러 설리번 선생님이 대표적이다.
제일 기억에 남는 사건은 설리번 선생님이 헬렌 켈러를 때리면서까지도 공부를 시킨 게 인상 깊었다. 나는 친구에게 헬렌 켈러처럼 포기하지 말라고 말해 주고 싶다. 이유는 이렇게 말을 해주면 듣는 친구가 다시 도전할 수 있을 것 같기 때문이다.

알고 보니 내 생활이 다 과학을 읽고

조은찬

오늘은 알고 보니를 읽었다. 이유는 선생님이 시켜서다. 뻥이고 엄마 아빠가 보라고 협박함 ㅠ 사실 또 뻥이고 그냥 봄. 근데 공을 받는데 전화가 왔다. 근데 지구가 뒤에서 야구 빠다 들고 뻥임. 알죠? 이건 아무튼 기억에 남는 것은 축구장에서 레알 쿄쿄레전드 선수가 기억에 아주 남음. 나는 이제 진국 레알 크크 레알 아이고스가 싸인도 해줌 뻥임.
모르면 솔직히 좀 죄송함. 이제 갑니다. 2024년 4월 8일 월요병 조심하고 그럼 아디오스 아미고.

헬렌 켈러를 읽고

SeYeon 오

헬렌 켈러는 참 대단한 것 같다. 왜냐하면, 귀, 눈 둘 다 먼데 역사적인 인물이 되었고, 그 설리번 선생님의

험난한 가르침 속에서 그만큼 성장했다는 게 정말 대단한 것 같다. 나라면 차라리 누워서 아무것도 하지 않을 것만 같은데…. (안 하는 게 아니라 못하는 거지!^^)여성 참정권이 난 제일 마음에 든다.
한국은 옛날에 여자는 공부도 못하고 집안일 만 하고 살아야 했다고 들었는데…. 외국보다도 아직 모자란 한국! 노력 좀 하자~

헬렌 켈러를 읽고

조은찬

오늘 배운 것은 헬렌 켈러지만 마지막은 아빠 이야기를 해서 아빠를 이야기하겠다. 나에게 아빠는 목숨보다 소중하다. 잔소리하는 것도 이유를 알았다. 이유는 아빠가 산 것보다 더더 좋은 삶을 살라는 이유에서다. 아빠는 내 삶에 없으면 안 된다. 마지막까지 아빠를 생각하며 말을 하겠다.

나를 좋게 하는 사람은 아빠
나를 존중하는 사람은 아빠
내 삶에 필요한 것은 아빠다.
그럼 아디오스 아미고~

가을이네 장 담그기를 읽고

정우진

이 책은 콩꼬투리, 도리깨, 키를 까불다, 대청마루, 군불, 거죽, 정월, 부산스럽다, 종지, 소반, 굽어살피다, 날 간장이라는 옛 단어가 나온다. 가을이네 가족이 밥도 먹고 계란찜도 먹고, 된장찌개도 먹고, 잡채도 먹고, 김치도 먹고 나물도 먹고 생선도 먹고 술도 먹고 녹두전을 먹습니다. 나물에는 간장이 들어 있고, 찌개에도 간장 된장이 들어 있습니다. 그래서 된장과 간장이 중요합니다.

추가:

그림작품 SeRin 오

공평과 공정에 차이점

공평은 부자와거지에게 같은 돈을 주는 것이고

공정은 부자 보단 거지에게더 기부하는것 입니다.

SeRin 오

지하철 황금 예절!?!?

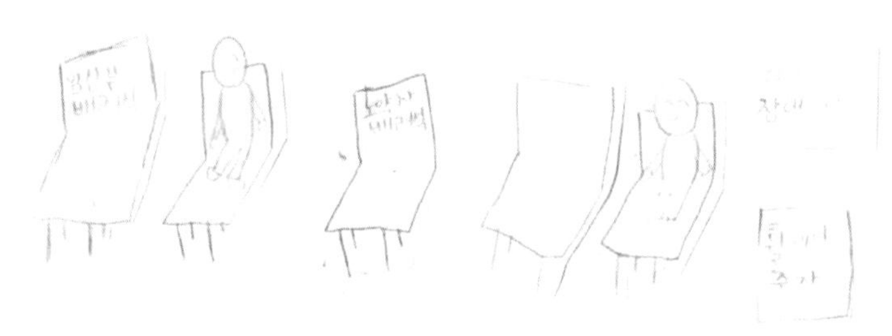

지키면 지하철이
아름다워요!!

SeYeon 오

정우진

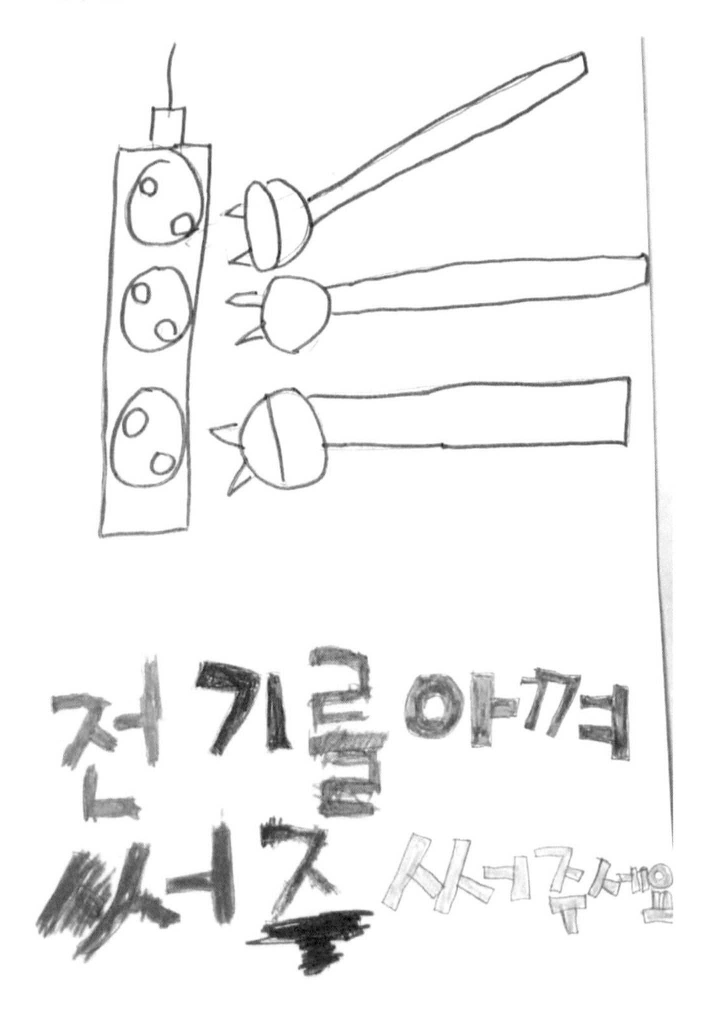

<작가를 대신 하여 쓰는 글>

아이들 글을 최대한 수정하지
않고, 그대로 올렸습니다. 표준어에
맞지 않는 단어가 있더라도
너그럽게 봐주시길 바랍니다.
앞으로 더 좋은 시와 글로
돌아오겠습니다. 기대해 주세요.
책 판매의 모든 수익은 전액
기부합니다.